目　次

日本共産党創立97周年記念講演会

共闘の4年間と野党連合政権への道　志位和夫委員長の講演

日本共産党創立97周年記念講演会

共闘の4年間と野党連合政権への道

志位和夫委員長の講演

2019年8月8日

お集まりのみなさん、全国のみなさん、こんばんは（「こんばんは」の声）。ご紹介いただきました日本共産党の志位和夫でございます（拍手）。今日は、私たちの記念講演会にようこそおこしくださいました。

まず冒頭、7月21日に行われた参議院選挙において、日本共産党と野党統一候補にご支持をお寄せいただいた有権者のみなさん、ともに奮闘していただいたすべてのみなさんに、心からの感謝を申し上げます。（拍手）

日本共産党が市民と野党の共闘の力で日本の政治を変えるという新しい道に踏み出してから、およそ4年がたちました。共闘のとりくみは、どういう成果をあげてきたのか。今後の課題と展望はどうか。今日は、私は、「共闘の4年間と野党連合政権への道」と題して、お話をさせていただきます。どうか最後までよろしくお願いいたします。（拍手）

参議院選挙の結果――二つの大目標にてらして

改憲勢力3分の2割れ、自民党単独過半数割れ——この民意を真摯に受け止めよ

まずお話ししたいのは、参議院選挙の結果についてです。

今回の参議院選挙の全体の結果で、何よりも重要なことは、自民・公明・維新などの改憲勢力が、改憲発議に必要な3分の2を割ったことであります（**拍手**）。

自民党が「勝った」などと言っていますが、改選比で9議席を減らし、参議院での単独過半数を大きく割り込んだことも重要であります。

記念講演する志位和夫委員長＝２０１９年8月8日、東京都中野区

3年前、２０１６年の参議院選挙で、改憲勢力は、衆議院に続いて参議院でも3分の2を獲得しました。自民党は、27年ぶりに参議院での単独過半数を獲得しました。安倍首相は、この数の力を背景に、その翌年、２０１７年の5月3日、憲法記念日の日に、「２０２０年の施行に向けて、9条に自衛隊を明記する憲法改定を行う」と宣言し、憲法9条改定への暴走を開始しました。今回の参院選の全国遊説でも、安倍首相が最も熱心に語ったのは憲法改定でした。しかし、国民は、安倍首相のこの野望に対して、明確な審判を下したのであります。

「期限ありきの性急な改憲の動きには賛成できない」——これが参議院選挙で示された主権者・国民の民意であることは明らかではないでしょうか。（**拍手**）

選挙後、安倍首相の側近中の側近——萩生田自民党幹事長代行が、「憲法改正シフト」が必要だと、事もあろうに衆議院議長の交代——〝議長の首をかえろ〟ということにまで言及したことに、強い批判が集中しています。この発言が、憲法がさだめた三権分立を無視した言語道断の暴言であることは論をまちませんが、ここには国民の審判によって追い詰められたものの「焦り」があらわれているのではないでしょうか。

日本共産党は、安倍首相に対して、国民の審判を真摯に受け止め、9条改憲を断念することを、強く求めるものであります。（**大きな拍手**）

市民と野党の共闘の成長・発展——激しい野党攻撃をはね返して

安倍・自公政権に痛打をあびせるこの結果をつくるうえで、決定的役割を発揮

したのが、市民と野党の共闘でした。

私たちは、全国32の1人区のすべてで野党統一候補を実現し、10の選挙区で大激戦を制して勝利をかちとりました。6年前の参議院選挙では、1人区で野党が獲得した議席は2議席でしたから、多くの自民党現職議員を打ち破っての10議席は、文字通りの躍進といっていいのではないでしょうか。（**拍手**）

「1＋1」が「2」でなく、それ以上になる「共闘効果」がアップしました。野党統一候補の得票が、4野党の比例票の合計を上回った選挙区は、3年前の28選挙区から29選挙区に拡大しました。得票数合計の比較では、32選挙区合計で、120・9％から127・4％に、これも前進しました。これらの数字は、この3年間、共闘が、さまざまな困難や曲折を乗り越えて、成長・発展していることを、物語っていると思います。

重要なことは、10選挙区での野党の勝利が、安倍首相を先頭にした激しい野党攻撃をはね返してのものだったということです。私は、安倍首相の選挙応援の記録を分析してみました。公示後、安倍首相が応援に入った1人区は12選挙区ですが、そのうち8選挙区で野党が勝利、野党の勝率は67％であります（**拍手**）。さらに先があります（**笑い**）。安倍首相が2回、応援に入った1人区は8選挙区ですが、そのうち6選挙区で野党が勝利、勝率は75％になります（**拍手**）。もう一つ、先があります（**笑い**）。安倍首相が行った演説箇所数でみると、新潟県・8カ所、宮城県・6カ所、滋賀県・6カ所――この3県が「ベスト3」になりますが、3県のすべてで野党が勝利（**拍手**）、勝率は100％になります（**拍手**）。すなわち〝安倍首相が入れば入るほど野党が勝つ〟（**笑い、拍手**）――これが安倍首相の選挙応援の「法則」にほかなりません。

日本共産党は、全国どこでも市民と野党の共闘の成功のために誠実に努力し、その発展に貢献することができました。これを深い確信にして、総選挙にむけ、共闘をさらに大きく発展させるために、トコトン頑張り抜く決意を申し上げるものです。（**大きな拍手**）

日本共産党の結果――選挙区選挙での成果、比例選挙では後退から押し返した

日本共産党の結果は、選挙区選挙では、東京で吉良よし子さん、京都で倉林明子さんが、現有議席を大激戦をかちぬいて守り抜き、見事に再選を果たしました。埼玉で伊藤岳さんが激戦、接戦を制して勝利し、21年ぶりに議席を回復しました（**拍手**）。選挙区選挙で、全体として、現有の3議席を確保することができたことは重要な成果であり、ともに喜びたいと思います。（**拍手**）

大阪で辰巳孝太郎さんの議席を失ったことは悔しい結果ですが、私は、大阪のたたかいは、安倍・自公政権とその最悪の別動隊――維新の会という「二重の逆流」に対して、多くの市民とともに堂々と立ち向かった立派なたたかいだったと

志位委員長の講演を聞く人たち＝2019年8月8日、東京都中野区

思います（**拍手**）。次の機会に必ず巻きかえしをはかる決意を申し上げるとともに、大阪のたたかいへの全国の連帯を訴えるものであります。（**大きな拍手**）

比例代表選挙で、日本共産党が改選5議席から4議席に後退したことは残念です。同時に、私たちは、選挙結果についての常任幹部会の声明のなかで、今回の参院選で獲得した得票数・得票率を、「この間の国政選挙の流れの中でとらえることが大切」だとのべ、直近の2017年の総選挙の比例代表と比較すれば、得票数を440万票から448万票に、得票率を7・90％から8・95％にそれぞれ前進させたことを強調しています。

2017年の総選挙は、共闘を破壊する突然の逆流とのたたかいを通じて、政党配置と政党間の力関係に大きな変化が起こった選挙でした。わが党は、逆流と果敢にたたかい重要な役割を果たしましたが、党自身としては悔しい後退を喫した選挙となりました。

ここから出発して、どこまで押し返したか。私たちは、このことを、今年の二つの全国選挙――統一地方選挙と参議院選挙の結果をはかる基準として一貫してすえてきましたが、それは生きた政治の流れのなかで私たちの到達をはかる最も合理的な基準だと考えます。

この基準にてらして、全国のみなさんの大奮闘によって、比例代表で、得票数・得票率ともに押し返したことは、次の総選挙で躍進をかちとるうえでの重要な足掛かりをつくるものとなった――私はこのことを確信を持って言いたいと思います。（**拍手**）

成果を確信に、悔しさをバネに、強く大きな党をつくり、総選挙で必ず躍進を

政治論戦については、年金、消費税、家計支援、憲法など、日本共産党が提起した問題が選挙戦の中心争点となり、論戦をリードしました。国民に「政治は変

えられる」という希望を伝えるとともに、安倍・自公政権を追い詰めるうえでの大きな貢献になりました。公約実現のためにあらゆる力をつくすことをお約束するものです。（**拍手**）

こうして、わが党は、今回の参議院選挙を市民と野党の共闘の勝利、日本共産党の躍進という二つの大目標を掲げてたたかったわけですが、この二つの大目標にてらして、共闘の力で、みんなの力で、全体として大健闘といえる結果をつくることができたと考えます。私たちに寄せられたご支持、ご支援に対して、重ねて心からのお礼を申し上げます。本当にありがとうございました。（**拍手**）

参議院選挙をたたかって、私たちは党の自力を強めることの切実な意義を痛いほど感じています。この問題も含めて、参議院選挙の総括と教訓については、次の中央委員会総会で行うことにしたいと思います。

全国のみなさん。成果を確信に、悔しさをバネに、教訓をひきだし、強く大きな党をつくり、次の総選挙では必ず躍進をかちとろうではありませんか。（**大きな拍手**）

共闘の4年間――どういう成果と到達を築いたか

共闘の力で3回の国政選挙――この積み重ねは国会の空気を大きく変えた

次にお話ししたいのは、共闘の4年間によって、どういう成果と到達を築いたかということについてです。

この4年間、私たちは、他の野党のみなさん、多くの市民のみなさんと手を携え、共闘の力で、3回の国政選挙――２０１６年の参院選、17年の総選挙、19年の参院選をたたかってきました。

2回の参議院選挙で、野党統一候補としてともにたたかい、勝利をかちとった参議院議員は、あわせて21人となりました。２０１７年の総選挙では、わが党も共闘の一翼を担う形で小選挙区での勝利をかちとった衆議院議員が、32人生まれました。日本共産党の国会議員団は、現在、衆参で25人ですが、それにくわえて、わが党も共闘の一翼を担ってその勝利に貢献した国会議員――いうならば、〝私たちの友人の国会議員〟が、衆参で50人をこえた。これが到達点であります。（**拍手**）

この積み重ねは、国会の空気を大きく変えています。以前の国会では、たとえば私が、衆院本会議の代表質問などに立ちましても、拍手が起こるのは共産党席だけ（**笑い**）という場合が、ほとんどでありました。衆議院での共産党の議席が8人だった時代には、質問に立つものは自分では拍手ができませんから（**笑い**）、拍手は7人だけということもしばしばでありました。ところがいまでは、野党席から盛大な拍手がたびたび起こります（**拍手**）。時にはかけ声も起こってまいります。私たちも他の野党の質疑に拍手を送ります。こういう光景が日常になりました。

野党共闘は日本の政治を確実に変えつつある——これが国会で活動していても、この4年間の実感であるということを、まずみなさんにご報告したいと思います。（**拍手**）

15年9月「国民連合政府」の呼びかけ——「共闘の二つの源流」に背中を押されて

こうした「共闘の時代」へと日本の政治を変えるうえで、大きな契機となったのが、安保法制反対運動の国民的高まりと、「野党は共闘」の声にこたえて、安保法制が強行された２０１５年9月19日にわが党が行った「戦争法（安保法制）廃止の国民連合政府」の呼びかけでした。

憲法違反の戦争法（安保法制）ばかりは、政府・与党の「数の暴力」で成立させられたからといって、それを許したままにしておくことは絶対にできない。「戦争法廃止、安倍政権打倒のたたかいをさらに発展させよう」。「戦争法廃止で一致する政党・団体・個人が共同して国民連合政府をつくろう」。「そのために野党は国政選挙で選挙協力を行おう」。これが私たちの呼びかけでした。

国政レベルでの選挙協力は、わが党にとって体験したことのない新しい取り組みでした。いったいこの呼びかけが実るのかどうか。あらかじめ成算があって始めたわけではありません。もちろん、イチかバチかの賭けのようなつもりでやったわけでもないのですが（**笑い**）、成算があったわけではないのです。しかしこれは、踏み切らないといけないと考えた。どうして私たちがこの歴史的踏み切りをすることができたのか。「共闘の二つの源流」ともよぶべき先駆的な流れに、私たちが学び、背中を押された結果でした。

第一の源流は、国民一人ひとりが、主権者として、自覚的に声をあげ、立ち上がる、新しい市民運動であります。

２０１２年3月から「原発ゼロ」をめざす毎週金曜日の官邸前行動が始まり、この運動は今日も続いています。「誰もが安心して参加できる空間をつくる」という思いで、始められた運動でした。戦後の平和運動、民主主義運動を担ってきた潮流が、過去のいきさつを乗り越えて、「総がかり行動実行委員会」という画期的な共闘組織をつくりました。そして、安保法制＝戦争法案に反対する空前のたたかいがわきおこり、学生、「ママの会」、学者・研究者など、さまざまな新しい市民運動が豊かに広がりました。その中から「野党は共闘」のコールがわきおこりました。

私は、こうした市民のたたかいにこそ、今日の共闘の源流があるし、未来にむけて、共闘を発展させる最大の原動力もまたここにこそあるということを、ともにたたかってきたすべての人々への敬意をこめて、強調したいと思うのであります。（拍手）

第二の源流は、「オール沖縄」のたたかいであります。

その画期となったのは、オスプレイ配備撤回、普天間基地閉鎖・撤去、県内移設断念を求め、沖縄県内全41市町村長と議会議長などが直筆で署名し、連名で提出した2013年1月の「沖縄建白書」でした。この歴史的文書の取りまとめにあたった当時の翁長雄志那覇市長を先頭に「オール沖縄」がつくられました。そして翌年、2014年の県知事選挙で翁長知事が誕生しました。

私が忘れられないのは、当選後、知事公舎を訪ねたさい、翁長さんが、私に、こうおっしゃった。「これまで沖縄では基地をはさんで保守と革新が対立していました。そのことで一番喜んでいたのは日米両政府です。これからは保守は革新に敬意をもち、革新は保守に敬意をもち、お互いに尊敬する関係になっていきましょう」。こう笑顔で語りかけてこられたこの言葉を私は忘れません。今日（8月8日）は、翁長さんが急逝されてからちょうど1年の日です。この日にあたって、私は、翁長さんの遺志を継ぐ決意を新たにするものであります。（拍手）

全国のみなさん。今日の共闘をつくりだしたもう一つの偉大な源流が、「オール沖縄」のたたかいにあることを、ともに深くかみしめ、沖縄への連帯のたたかいをさらに発展させようではありませんか。（大きな拍手）

16年7月参議院選挙――この選挙でのわが党の対応の歴史的意義について

次の大きな節目となったのが、2016年7月の参議院選挙でした。この参院選で、私たちは、日本の政治史上で初めて、32の1人区のすべてで野党統一候補を実現し、11の選挙区で勝利をかちとるという、最初の大きな成果を得ました。

それを可能にしたものは何だったか。もちろん野党各党の頑張りの成果でありますが、私は、二つの要素があわさっての最初の一歩が踏み出されたと考えます。

一つは、ここでもまた野党の背中を押してくれたのは、市民の運動だったということです。私たちの「国民連合政府」の提案は、いろいろな方々から評価をいただきましたが、実際の共闘はなかなか進みませんでした。そうしたなか、2015年12月に、「安保法制の廃止と立憲主義の回復を求める市民連合」が結成されました。翌16年1月には、「市民連合」主催の初めての野党共同街宣が行われ、「ぐずぐずしていてどうする」というような叱咤（しった）激励が市民のなかから広がっていきました。

そういう声に背中を押されて、16年2月19日、5野党党首会談が開催され、安保法制の廃止、安倍政権の打倒をめざし、国政選挙で最大限の協力を行うという画期的な合意がかわされました。これを契機に、全国各地の1人区で野党統一候補が次々に誕生し、最初の成果につながっていきました。

いま一つ、このプロセスでわが党の決断も貢献したと思います。5野党党首会談の席で、画期的合意をうけ、私は、1人区の候補者調整については「思い切った対応」をするということを表明しました。わが党は、この表明にもとづき、1人区のほとんどで予定候補者を降ろし、野党統一候補を実現するという対応を行いました。

私は、今回の参院選の結果を見まして、わが党が、3年前の2016年の参院選で一方的に候補者を降ろしてでも共闘を実現した歴史的意義をあらためて実感しました。

たしかに16年の参院選で、自民党は、改選比では5議席を増やし、改憲勢力で3分の2を獲得しました。しかし前回比——すなわち3年前の2013年参院選比では10議席を減らしていました。野党が11の1人区で勝利したために、2013年のような圧勝はできなかったのであります。野党共闘が、ボクシングでいえばボディーブローのように効いて、自民党の体力を奪っていたのであります。2016年の参院選での、改憲勢力で3分の2の獲得という、一見すると〝勝利〟のように見えた結果のなかに、すでに〝没落〟は始まっていたのであります。

3年前のわが党の対応は、今回の参議院選挙で、改憲勢力の3分の2割れ、自民党の単独過半数割れをつくりだすうえでの重要な貢献になったということを、私は強調してもいいのではないかと思うのであります。（拍手）

17年10月の総選挙——逆流から共闘を守ったことの意義ははかりしれない

2017年10月の総選挙は、共闘を破壊する逆流を乗り越えて、次につながる重要な成果をつくったたたかいになりました。

9月28日、衆院解散の日に、市民と野党の共闘は、突然の逆流と分断に襲われました。当時の民進党の前原代表が、突然、希望の党への「合流」を提案し、民進党の両院議員総会が満場一致でこの提案を受け入れるという事態が起こりました。私も、これを聞いて耳を疑いました。これは、2年間の共闘の原点、積み重ねを否定し、公党間の合意を一方的にほごにする、重大な背信行為でありました。

共闘が崩壊の危機にひんした瞬間、9月28日のその日に、わが党は、「逆流とは断固としてたたかう」「共闘を決して諦めない」という二つの態度表明を行い、ただちに行動を開始しました。こうしたもと立憲民主党が結成されました。

わが党は、この動きを歓迎し、共闘勢力一本化のために、全国67の小選挙区で予定候補者を降ろすことを決断し、多くのところで自主的支援を行いました。わが党が、候補者を擁立しなかった83選挙区のうち、32選挙区で共闘勢力が勝利しました。

私は、わが党が、共闘が崩壊の危機にひんした非常事態のもと、一方的に候補者を降ろしてでも共闘を守りぬくという判断を行ったことは、日本の政治に民主主義を取り戻すという大局に立った対応であり、正しい判断だったと確信しております。**（拍手）**

そして、この時も、共闘の再構築のために、強力に私たちの背中を押してくれたのは、全国の草の根での市民連合のみなさんの頑張りだったということを、感謝とともに強調しておきたいと思います。**（拍手）**

この時に、逆流から共闘を守ったことの意義は、その後、目に見える形で明らかになりました。

２０１８年の通常国会以降、野党の国会共闘が目覚ましい発展をとげています。さまざまな課題で野党合同ヒアリングが開催され、その数は1年半で２３４回にも及んでいます。野党の合同院内集会が1年半の節々で11回開催されました。こうした共闘の前進のなかで、憲法審査会における改憲策動を封じてきたのは、最大の成果といっていいと思います。**（大きな拍手）**

もしも、17年総選挙で、共闘破壊の逆流の動きを成功させていたら、その後のこうした国会共闘もなかったでしょう。改憲への暴走を許していた危険も大いにあったでしょう。そのことを考えますと、逆流から共闘を守ったことの意義は、どんなに強調しても強調し過ぎるということはないのではないでしょうか。**（拍手）**

日本共産党自身は、この総選挙で悔しい後退を喫しました。私たちは、その原因を「わが党の力不足」と総括し、巻き返しを誓いました。ただ、この時に、私たちが何よりもうれしかったのは、各界の多くの識者の方から、「共産党は、身を挺（てい）して逆流を止め、日本の民主主義を守った」との評価を寄せていただいたことであります。私たちは、つらい結果のもとでのこの激励を、決して忘れません。

そしてこの時に、「共産党を見直した」という声は、全国各地で広がりました。さまざまな形で市民のみなさんとの信頼の絆が強まり、今回の参議院選挙での選挙区での健闘、比例での押し返し・前進につながっていきました。

議席を減らしたが、市民のみなさんとの信頼の絆は強まった――私は、ここに17年総選挙で私たちが得た最大の財産があると考えるものです。

19年7月の参議院選挙――積み重ねのなかで共闘は豊かに成長・発展した

今年の参議院選挙では、こうした4年間の積み重ねの上に、共闘が豊かに成長・発展しました。選挙をたたかって実感している五つの重要な点をのべたいと思います。

1人区の共闘――相互に支援しあう共闘への大きな前進

第一は、1人区の共闘が、相互に支援しあう共闘へと大きく前進したことであります。

わが党は、過去2回の国政選挙では、お話ししたように一方的に候補者を降ろすことで共闘を実現するという対応をとりましたが、今回の参議院選挙では「本気の共闘」をつくるうえでも、「お互いに譲るべきは譲り一方的対応を求めることはしない」、「みんなで応援して勝利を目指す」ことが大切だと率直に訴えて、野党各党との協議にのぞみました。

その結果、日本共産党が擁立した候補者が野党統一候補となった選挙区が、3年前の香川1県から、徳島・高知（松本顕治候補）、鳥取・島根（中林佳子候補）、福井（山田和雄候補）の3選挙区5県に広がりました。実際の選挙戦も、野党各党の国会議員が、市民のみなさんと肩を並べ、相互に支援しあう、そういう共闘に大きく前進しました。

野党統一候補の横沢高徳さんが勝利をおさめた岩手県からは、次のような報告が寄せられました。「サプライズは、最終日の日本共産党比例代表の街頭での打ち上げの場に、横沢高徳候補の宣伝カーが横付けし、達増知事、横沢候補、木戸口参議院議員の3人が降りてきた。あいさつをすすめると、3人が日本共産党の比例カーの前でマイクを握り、『野党共闘はいいですね』と演説したことでした。選挙をともにたたかった市民のみなさんは、『野党共闘のなかで、政策論戦でも組織戦でも重要な役割を果たした日本共産党への敬意を示す象徴的な場面だった』と異口同音に語っています」。心一つにたたかった選挙の様子が伝わってくる、うれしい報告ではないでしょうか。（拍手）

滋賀県では野党統一候補の嘉田由紀子さんが大激戦を勝ち抜きました。嘉田さんは、先日、党本部にお礼のあいさつに来られました。見ると胸にバッジを二つつけている。聞きますと、立候補を取り下げたわが党の佐藤耕平さんと、立憲民主党の田島一成さんのものだということでした。嘉田さんは、「若い2人のエネルギーをもらって頑張る」と心のこもった決意を語っておられました。

この滋賀県からは、次のような報告が寄せられました。「この勝利の力は野党の結束でした。昨年11月から4党協議をはじめ、選挙前まで13回行ってきました。協議の場は、各党が議長と会場を持ち回りにして行い、真摯に誠実に議論を重ねました。過去のいきがかりを超えて、全力をつくして応援する日本共産党の姿勢が党派を超えて伝わり、嘉田さんの支援者の方々から、『共産党の覚悟とすごさを目の当たりにしました。比例は共産党に入れます』と言ってくれる人も生まれました」。こういううれしい報告も寄せられていることをご紹介したいと

思います。（**拍手**）

日本共産党が擁立した候補者が野党統一候補となった3選挙区・5県の奮闘には、どれも素晴らしいドラマがありますが、とりわけ徳島・高知選挙区で、松本顕治候補が、20万1820票、得票率40％を獲得したことは、画期的なたたかいとなりました（**大きな拍手**）。松本候補は、無党派層の5割を超える支持を集め、野党比例票合計の123％の得票を獲得しました。

選挙後、社会保障を立て直す国民会議・国対委員長の広田一（はじめ）衆議院議員（高知2区選出）が、野党国対委員長会談の場で次のように語ったとのことでした。

「松本顕治候補にほれました。共産党候補でも勝てるということが証明されました。あと2カ月早く統一候補に決まっていれば勝てた」

「共産党候補でも勝てる」、さらに進んで「共産党候補だから勝てる」というところにいきたいと思いますが、こういううれしい声が伝わってまいりました。（**拍手**）

労働組合のナショナルセンターの違いを超えた個人加入の幅広い市民組織「高知・憲法アクション」で提出された参院選の総括にかかわる文書を拝見しましたら、このように述べております。紹介いたします。

「今回、当初、『共産党の候補では勝てない』という声が強くあった。……当初懸念された状況は、選挙戦が進むにつれて克服されていった。……『共産党の候補では勝てない』という主張を高知・徳島合区で事実上崩したことは大きい。……今回の高知・徳島のたたかいで、候補者決定を早く行えば、候補者次第では『共産党の候補者』でも勝てるという展望を示した。これは、共闘自体は本来、どこかの政党の『一方的な犠牲』で成り立つというものではなく、相互の譲歩と協力で成り立つものであり、一方的譲歩（を求める）の『理由』として『勝てない』論があったことは事実で、これを一部でも克服したことは今後の野党共闘の発展に計り知れない貢献をしたと言えるのではないか」（**大きな拍手**）

たいへんにうれしい総括であります。「共産党の候補者でも勝てる」――この可能性を示したこのたたかいは、私は、次の総選挙で、小選挙区でも全国各地で風穴をあけていくたたかいに、新たな展望を開く画期的な意義をもつものだと考えるものであります（**大きな拍手**）。ぜひやろうじゃないですか。（**「オー」の声、大きな拍手**）

複数定数区――市民との共闘でつくりだした前進と勝利

第二に、共闘が発展したのは1人区だけではありません。複数定数区でも、市民との共闘が発展し、日本共産党の前進、勝利へと実をむすんだ経験がつくりだされました。

北海道では、わが党が、共闘の成功のために一貫して誠実な努力を重ねてきたことが、新しい前進をつくりだしています。大きな転機となったのは2017年の総選挙でした。共闘を破壊する逆流に抗して、北海道では全12選挙区で共闘勢力で候補者を一本化し、5選挙区で勝利をかちとりました。わが党は、共闘を実現し、勝利をかちとるために、献身的に奮闘しました。同時に、畠山（はたやま）和也議員の比例の議席を失う痛恨の結果となりました。この結果をみて、共闘関係者のみなさんから、「共闘はすすんだが、共産党の議席を失ったことは痛恨だ。何とかしなければ」という声が強くあがりました。他の野党の幹部のみなさんからも、「たくさんの協力をいただいたが、畠山さんには申し訳ないことをした。議席回復にむけて必ず何とかしたい」との声が寄せられました。

志位委員長の講演を聞く人たち＝2019年8月8日、東京都中野区

　こうした体験を契機として、今回の選挙戦は、「市民の風」（戦争させない市民の風・北海道）の幹部のみなさんのほとんどが、比例代表での共産党躍進、畠山候補の勝利を、それぞれ自分の言葉で語っていただく選挙となりました。共同代表の一人の方は、「比例では立憲野党。立憲野党といっても、よくわからないという人は、どうか日本共産党、あるいは紙智子と書いてください」と訴えました。こうしたもと、北海道では、比例代表で、17年の総選挙の得票数・得票率を大幅に超えるとともに、2016年――3年前の参院選の得票率をも超える前進を記録しました（**拍手**）。選挙区でも、畠山候補の当選にはとどかなかったものの、16年の参院選との比較で、得票数・得票率とも大きく前進しました。これらは次の総選挙での北海道での議席奪回の大きな展望を開くものであります。（**拍手**）

　京都でも、わが党が一貫して共闘を前進させるという立場を堅持したことが、倉林明子さんの勝利をかちとる重要な力になりました。私が、印象深いのは、選挙終盤の7月15日、岡野八代（やよ）同志社大学教授が、私と並んで、日本共産党と倉林必勝を訴えてくれたときのことであります。岡野さんは、「私は、今日結党97周年を迎えた共産党が史上初めて、そして日本の政党として唯一掲げられたジェンダー平等政策が、いかに画期的で、日本社会にとって不可欠な提案なのかについて、30年間ジェンダー研究をしてきた者として力の限り訴えたい」と切り出して、熱烈な、素晴らしい応援をしてくださいました。倉林さんの勝利は、文字通り、京都のたくさんの市民のみなさんとともに勝ち取った勝利であり、京都府民が自ら立ち上がってつかみとった勝利だったのではないでしょうか。（**拍手**）

　京都府からの報告によりますと、京都

で、こうした市民のみなさんとの共闘を大きく進める契機となったのは、これも２０１７年の総選挙で、共闘破壊の逆流に抗して、わが党が断固として共闘を守り抜く態度をとったことでした。このことが共同している市民の方々の共産党への評価を決定的に変える転機となりました。さらに翌18年春の府知事選挙で、市民のみなさんとの共闘が大きく広がり、福山和人（かずひと）弁護士が44％を獲得する大健闘の結果をつくりました。そして、今回の参院選にあたっても、京都の共産党は、「自民党と対決し、市民との共同を誠実に貫く」という姿勢を一貫して堅持して選挙戦をたたかいぬきました。そういうことが重なりまして、今回の参院選は、多くの市民のみなさんが、はじめて共産党の街頭演説や演説会でマイクをにぎり、「なぜ、私が日本共産党を支持するのか」を、それぞれの思いを込めて語っていただく選挙になりました。２０１７年、18年、そして19年、共闘に対する一貫した誠実な姿勢の積み重ねが、素晴らしい勝利へとつながっていったのが、京都のたたかいだったと、私は思います。**（拍手）**

共通政策——野党間の政策的な一致点が大きく広がった

第三は、野党間の政策的な一致点が大きく広がったということです。

５野党・会派は、「市民連合」のみなさんとの間で、13項目の「共通政策」を確認して、選挙をたたかいました。安保法制、憲法、消費税、沖縄、原発など、国政の基本問題で共通の旗印が立ちました。３年前に比べて、次の諸点などで内容上の大きな発展がつくられました。

まず、これまで触れることができなかった消費税について、「10月に予定されている消費税率引き上げを中止し、所得、資産、法人の各分野における総合的な税制の公平化を図ること」と明記されました。これは、「所得、資産、法人」の公平化、すなわち所得税や法人税などでの不公平税制の是正という方向を打ち出したという点でも重要であります。

沖縄問題についても、「辺野古における新基地建設をただちに中止」をズバリ打ち出しました。公示直前の７月１日、沖縄の高良鉄美（たからてつみ）候補の支援のために、国政５野党・会派の党首・代表らが那覇市に勢ぞろいして訴えましたが、これは歴史上初めての出来事であり、野党共闘の前進を象徴する出来事となりました。**（拍手）**

原発問題についても、現状での原発再稼働を認めず、原発ゼロ実現を目指すことが明記されたことは、大きな前進であります。

くわえて、選挙中の党首討論などを通じても、政策的な一致点を広げる可能性が生まれました。たとえば、わが党は、年金問題で、「マクロ経済スライド」を廃止して「減らない年金」にすることを大きな柱として訴えました。この提案に対して、立憲民主党の枝野幸男代表は、党首討論で、「マクロ経済スライドについては、われわれは前向きにすすめてきましたが、今般、共産党から新しい提案があります。こうしたことも含めて年金のあり方については、抜本的な国民的な議論をもう一度しなければならない」と発言しました。今後、野党間で、「基礎年金をこのまま3割も減らしていいのか」という点で一致点をさぐることは可能だと、私は考えております。年金問題でも前向きの政策的一致をつくるための協議をすすめることを呼びかけたいと思います。（拍手）

13項目の「共通政策」は、幅広い国民の共通の願いがギュッとつまった、たたかいの旗印であります。

全国のみなさん、憲法、消費税、沖縄、原発など、共通の旗印を高く掲げて、安倍政権を追い詰め、国民の願いを実現する共同のたたかいに大いにとりくもうではありませんか。（大きな拍手）

共闘の根本姿勢――「多様性の中の統一」「互いに学びあう」ということについて

第四に、お話ししたいのは、共闘をすすめる根本姿勢にかかわる問題についてです。

安倍首相は、党首討論で、「共産党は自衛隊を憲法違反、立憲民主党は合憲と言っている。そんな大事な問題を横において統一候補を応援するのか」と野党共闘を攻撃しました。

私は、「私たち野党は、自衛隊が違憲か合憲かという点では立場は違う。ただ、いま問われているのは違憲か合憲かじゃない。（安倍政権が）安保法制という立憲主義を壊して、憲法違反の法律をつくった。これは許せないということで一致している」と反論しました。立憲民主党の枝野代表も、「共産党も今すぐ自衛隊を廃止しろという主張はまったくされていない。当面はまず安保法制をやめろということで完全に一致しているので何ら問題はない」と反論しました（拍手）。党首討論をつうじても、野党共闘の前進を実感したしだいであります。

安倍首相は、日本共産党公認の山田和雄候補が野党統一候補になっている福井選挙区について、「枝野さんは福井県に住んでいたら共産党候補者に入れるのか」と執拗（しつよう）に、何度も質問しました。これに対しても、枝野代表は、「私が、福井県民なら野党統一候補に投票します。当然です」ときっぱり答えました（拍手）。安倍首相の挑発もあってか、枝野代表に、実際に福井に応援にきていただいたことは、うれしい出来事となりました。（大きな拍手）

こういう論戦も通じて、共闘を進める根本姿勢について、お互いに理解が深まったように思います。

私は、開票日のインタビューで、「多様性の中の統一」という立場が大事ではないかとお話ししました。野党は、それぞれ個性があってもいい。多様性があっていい。違いがあったっていいじゃないですか。違いがあっても、違いをお互いに認め合い、リスペクト（尊敬）しあって、国民の切実な願いに即して一致点で協力する。「多様性の中の統一」＝「ユニティー・イン・ダイバーシティー」こそが、一番の民主主義ではないでしょうか（**大きな拍手**）。それは、個人の尊厳、多様性を尊重する今日の社会の動きともマッチしているのではないでしょうか。だいたい、相手は「多様性ゼロ」じゃないですか（**笑い**）。安倍首相の言うことには何でも賛成、言う前から忖度（そんたく）する（**笑い**）。そんな「忖度政治」とくらべれば、「多様性の中の統一」をめざす野党共闘にこそ、未来はあるのではないでしょうか（**大きな拍手**）。こういう趣旨を質問に答えてお話ししたところ、発言をまとめてくれた動画が70万回以上再生されています。「この動画を見て共産党アレルギーがなくなった」とのコメントもたくさん寄せられていることは、たいへんにうれしいことであります。

いま一つ、私が、大切だと実感しておりますのは、「互いに学びあう」ということです。わが党は、今回の参議院選挙で「ジェンダー平等」を政策の柱にすえ、街頭でも大いに訴えました。これは、この問題に先駆的に勇気をもってとりくんできた市民のみなさんの運動や、研究者の方々の成果に学んでのものでありました。日本共産党は、97年の歴史において、男女同権、女性差別撤廃のためにたたかってきたことに強い誇りをもっています。同時に、先駆的なとりくみから謙虚に学び、連帯し、私たち一人ひとりも、「正すべきは正す」という自己変革にとりくむという姿勢が大切ではないでしょうか。そういう姿勢でとりくんでこそ、社会を変える大きなうねりをつくることに貢献できますし、私たちに対する本当の信頼を得ることもできるのではないでしょうか。（**拍手**）

「互いに学びあう」という点では、今日もたくさんおみえになっていますが、JCPサポーターのみなさんと双方向で意見交換をしながら選挙をたたかったことで、これまでにない方々に党の魅力が伝わったことも喜びであります。共産党が得意なこともありますが、得意でないこともあります。「政策がしっかりしていてブレない」――市民のみなさんから、こういう評価をいただいていることはうれしいことです。ただそれだけで有権者に伝わるわけではありません。共産党には、親しみやすさもある、人間らしさもある、情熱もある。自分では言いづらいことですが、あるんです（**笑い**）。昨年の「JCPサポーターまつり」から、選挙中のSNSを活用したさまざまな動画まで、私たちが普段あまり気づいていないことも含めて共産党の魅力を引き出してくれたのが、JCPサポーターのみなさんでした（**拍手**）。ガーベラの花をモチーフにした街宣用バックバナーは、サポーターのみなさんから「宣伝で統一したイメージを打ち出した方がいい」との提案をうけて、作成したものでした。

私たちは、これからもJCPサポーターのみなさんと、双方向で、門戸を開いて、キャッチボールをしながら、私たちの活動をバージョンアップし、国民の心に伝わるメッセージを一緒に発信していきたいと考えています。（**拍手**）

「多様性の中の統一」「互いに学びあう」――こういう姿勢に立って、市民と野党の共闘を強く、豊かなものにしていくために、さらに力をつくす決意を申し上げたいと思います。（**大きな拍手**）

れいわ新選組――共闘の発展のなかで新政党が誕生したことを歓迎する

第五に、参議院選挙で新たに登場したれいわ新選組について、一言のべておきたいと思います。

れいわの山本太郎代表には、選挙中、大阪、京都、神奈川で、わが党候補を応援していただきました。それぞれの応援演説は、候補者の特徴をよくとらえた心のこもったものでありました。心から感謝したいと思います。**（大きな拍手）**

れいわの掲げている政策の内容はわが党と共通する方向です。山本代表は野党共闘で政権交代をはかりたいという立場を表明しています。これもわが党と共通する方向です。私たちは、市民と野党の共闘の発展のなかで、こうした政党が新たに誕生したことを、歓迎するものであります。**（大きな拍手）**

今後、ともに手を携え、いまの政治を変え、よい日本をつくるための協力が発展することを、心から願うものであります。**（拍手）**

野党連合政権にむけた話し合いの開始を呼びかける

今後の大きな課題――政権問題での前向きの合意

全国のみなさん。お話ししてきたように、市民と野党の共闘は、この4年間に豊かな成長・発展をとげてきました。それは容易に後戻りすることはない、日本の政治の確かな現実となっています。

同時に、共闘には解決すべき大きな課題があります。

それは政権問題での前向きの合意をつくることであります。安倍政権・自民党政治に代わる、野党としての政権構想を、国民に提示することであります。

わが党は、4年前に「国民連合政府」を提唱していらい、野党が政権問題で前向きの合意をつくることが大切だと主張しつづけてきましたが、政権問題での合意はまだつくられておりません。この間、私たちは、政権合意がないもとでも、この問題を横において、選挙協力をすすめるという態度をとってきました。

しかし、市民と野党の共闘を本当に力あるものにするためには、この課題を避けて通ることは、いよいよできなくなっていると考えるものであります。

それは私たちが直面する国政選挙が、政権を直接争う衆議院選挙であるという理由からだけではありません。野党が力強い政権構想を示すことを、日本国民と日本社会が求めているからであります。（**拍手**）

そのことを、私は、二つの問題からお話ししたいと思います。

史上2番目の低投票率――政治を変えるという「本気度」が伝わってこそ

第一は、今回の参議院選挙の投票率が48・80%と24年ぶりに50%を割り込み、過去2番目に低かったという問題です。これは日本の民主主義にとって、きわめて憂慮すべき事態です。

いろいろな原因があると思いますが、私は、安倍首相の姿勢に最大の問題があったということをまず指摘しなければなりません。安倍首相は、参議院選挙にさいして、論戦から逃げ回るという姿勢を取り続けました。その最たるものが、通常国会の後半、野党が衆参で予算委員会を開き、参院選の争点を堂々と論じ合おうと要求したにもかかわらず、それを拒否し続けたことであります。

選挙戦に入っても、党首討論の機会はありましたが、安倍首相には、全体として誠実に議論するという姿勢が見られませんでした。いつも見られませんが（**笑い**）、今回は、特別見られなかったと思います。たとえば、わが党が、年金問題の提案を行っても、その場しのぎのゴマカシの数字を出して、まともな議論から逃げ続けた。安倍政権・与党が、国民の前で争点を堂々と論じ合う姿勢を取らず、論戦から逃げ続けたことに対して、私は、強く猛省を求めたいと思います。

（**大きな拍手**）

そのうえで、野党の側にも努力すべき問題があると思います。日本経済新聞が選挙後行った世論調査によりますと、参院選の投票に「行かなかった」と答えている人に複数回答でその理由を聞いたところ、「政治や暮らしが変わると思えない」と答えた方が29%で1位となっています。そのなかでも重大なことは、「安倍内閣を支持しない」と答えている人々のなかで、「政治や暮らしが変わると思えない」という回答の比重が高く、トップとなっていることです。すなわち、安倍内閣に批判や不信をもっている人々のなかでも、一票を投じても「変わると思えない」という思いから、棄権にとどまった人々が多数いる。この事実は、私たち野党にも問題を突きつけているのではないでしょうか。

こうした状況を前向きに打開するうえでも、私は、野党共闘がいま、「政治を変える」という「本気度」が、国民にビンビンと伝わるような共闘へと、大きく発展することが強く求められていると思います（**拍手**）。そしてそういう「本気度」が国民のみなさんに伝わるためには、安倍政権に代わる野党としての政権構想を国民に提示することが不可欠ではないでしょうか（**大きな拍手**）。そうした本気の、責任ある政権構想を打ち出すことができるならば、今回、棄権した多くの方々に「政治や暮らしが変わる」という「希望」を伝え、投票所に足を運んでもらうことができるのではないでしょうか。

投票率が10％上がれば選挙結果の激変が起こります。20％、30％と上がれば政権を吹き飛ばすことができるでありましょう（**拍手**）。野党が政権を担う覚悟を示してこそ、そして国民のみなさんに、ともに新しい政権をつくろうと呼びかけてこそ、国民のみなさんの心を動かすことができる。投票所に足を運んでいただくことができる。そういうとりくみをやろうじゃないかということを、私は、強く呼びかけたいと思うのであります。（**大きな拍手**）

安倍首相による民主党政権をもちだした野党共闘攻撃への断固たる回答を

もう一つ問題があります。

第二の問題は、安倍首相が、かつての民主党政権をもちだして、自分の政権を美化するとともに、野党共闘への攻撃を行い、国民の支持をつなぎとめる――このことを一貫した「戦略」においているという問題です。

今回の参議院選挙でも、安倍首相は、この「戦略」をとりつづけました。2月の自民党大会での演説で、首相は、「あの悪夢のような民主党政権」というののしりの言葉を使って、「あの時代に戻すわけにはいかない」と参議院選挙への決起を訴えました。

選挙後、朝日新聞が行った分析によりますと、安倍首相は、参院選で行った全73カ所の応援演説のすべてで、「あの時代に逆戻りさせるわけにはいかない」と語った。かつての民主党政権をもちだして、野党共闘攻撃を行ったといいます。このフレーズを繰り返し、「安定か、混迷か」を叫び、野党共闘を攻撃する。これが安倍首相の行った選挙キャンペーンだったのであります。一国の内閣総理大臣が、こんなことしかできない（**笑い**）。情けないじゃないですか。（**拍手**）

まず私は、安倍首相のこうした態度は、フェアな論争態度とは到底いえないということを指摘したいと思います。わが党は、当時の民主党政権に対して、野党として批判もしました。同時に、あの時期は、リーマン・ショックから立ち直る途上にあり、東日本大震災にみまわれた時期でした。そういう時期と比較して、自分に都合のいい数字を並べ立てて、自分の政権を美化することが、責任ある政治リーダーのやることでしょうか。こういう態度は、もういいかげんにやめるべきではないでしょうか。（**「そうだ」の声、大きな拍手**）

そのうえで、さらに私は、安倍首相に言いたい。だいたい、民主党政権をもちだして野党共闘を攻撃するのは、筋違いの攻撃であり、いわれなき攻撃だということであります。いま市民と野党の共闘がめざしているのは、かつての民主党政権の復活ではありません（「**そうだ**」**の声、拍手**）。共闘がめざしている政治は、「市民連合」との13項目の「共通政策」が示している政治であります。そこには、すでにのべたように、憲法、消費税、沖縄、原発など国政の基本問題で、自民党政治を切り替えるとともに、かつての民主党政権の限界を乗り越える内容も含まれています。そういう「共通政策」を堂々と掲げてたたかっている野党共闘を、「民主党政権への逆戻り」というレッテルを貼って攻撃するのは、事実をねじまげた卑劣な態度というほかないではありませんか。（**大きな拍手**）

もうこういう攻撃が通用しない状況をつくりましょう。こうしたいわれなき野党共闘攻撃との関係でも、いま野党が、安倍政権に代わる野党としての政権構想を打ち出すことは、安倍首相による攻撃への断固たる回答となり、攻撃を根底から打ち破る決定打になる。このことを、私は訴えたいのであります。（**大きな拍手**）

野党連合政権にむけた話し合いを開始しよう

以上をふまえまして、私は、この場をかりて、心から呼びかけます。この参議院選挙をともにたたかった野党と市民が、安倍政権に代わる野党の政権構想——野党連合政権にむけた話し合いを開始しようではありませんか。（**大きな拍手**）

野党連合政権の土台はすでに存在しています。5野党・会派が「市民連合」とかわした13項目の「共通政策」です。そこには、わが党が「国民連合政府」の提唱のさいに、共闘の「一丁目一番地」として重視した「安保法制の廃止」も明記されています。憲法、消費税、沖縄、原発など、国政の基本問題での共通の旗印も明記されています。野党連合政権をつくるうえでの政策的な土台はすでに存在している。そのことを私は強調したいと思うのであります。（**拍手**）

同時に、これらの「共通政策」を本格的に実行するためには、それにとりくむ政権が必要です。総選挙にむけて、市民と野党の共闘を、国民に私たちの「本気度」が伝わるものへと大きく成長・発展・飛躍させ、総選挙で共闘勢力の勝利をかちとるうえでも、政権構想での合意は必要不可欠ではないでしょうか。

この4年間、お話ししてきたように、市民と野党の共闘によって、私たちはたくさんの成果を積み重ねてきました。共通の政策的内容を広げてきました。多くの新しい信頼の絆をつくりあげてきました。問題は（政権をつくるという）意思です。意思さえあれば、野党連合政権への道をひらくことは可能だということを、私は訴えたいのであります。（**拍手**）

市民と野党が一緒になって、安倍政権に代わる野党の政権構想——野党連合政権を正面からの主題にすえた話し合いを開始しましょう。

——そのさい、何よりも大切なのは、

ともにたたかってきた野党と市民が、ともに力をあわせて連合政権をつくるという政治的合意をかちとることであります。

——そして、13項目の「共通政策」を土台に、連合政権で実行する共通の政策課題をより魅力あるものにしていくことが必要です。

志位委員長の講演を聞く人たち＝2019年8月8日、東京都中野区

——政治的な不一致点をどうするか。私たちは、たとえば日米安保条約の廃棄など、わが党の独自の政策を大いに訴えていきますが、それを共闘に持ち込むことはしないということをこれまでも言っておりますが、政治的な不一致点については互いに留保・凍結して、一致点で合意形成を図るという原則が大切になってくると思います。

次期総選挙にむけて、そうした話し合いを、胸襟を開いて開始することを、重ねて心から呼びかけるものであります。

（拍手）

国民に語るべきものをもたない政権には、退場してもらおう

全国のみなさん。安倍政権に、もうこれ以上、この国の政治をゆだねるわけにはいきません。**（多数の「そうだ」の声）**

安倍首相は、参院選で、憲法改定と野党攻撃以外に、語るべきものをもちませんでした。もう、ほかに語ることがないんですよ。**（笑い、「そうだ」の声、拍手）**

ごく一握りの大企業と富裕層に巨額の富が蓄積し、国民のなかには貧困と格差が広がる。この否定できない現実を前にして、もはや安倍首相は、「アベノミクスをふかす」というあのお決まりの法螺（ほら）すら語ることができないではないですか。**（拍手）**

安倍首相が自慢してきた「地球儀を俯瞰（ふかん）する外交」なるものも、対米外交は追随、対ロ外交は屈従、対韓外交は破綻、八方ふさがりに陥り、「地球儀の『蚊帳（かや）の外』の外交」**（笑い）**であることが、すっかり露呈してしまったではありませんか。**（拍手）**

国民に語るべきものをもたない政権には、退場してもらうほかないではありませんか。**（「そうだ」の声、大きな拍手）**

全国のみなさん。市民と野党の共闘を、4年間の成果を踏まえ、ここで大き

く発展・飛躍させ、安倍政権を打ち倒し、自民党政治を終わらせ、野党連合政権をつくろうではありませんか。（大きな拍手）

力をあわせて、すべての国民が尊厳を持って生きることのできる新しい日本をご一緒につくろうではありませんか。（大きな拍手）

日本共産党の躍進こそ、野党連合政権への最大の力 ――新しい探求の道をともに

共闘の力を強め、日本を救うためにも、日本共産党を強く大きく

私が、最後に訴えたいのは、日本共産党を政治的・組織的に躍進させることこそ、市民と野党の共闘を発展させ、野党連合政権をつくる最大の力となるということです。

今日、お話ししたように、この4年間、日本共産党は、情勢の節々で、市民と野党の共闘のためにブレずに力をつくし、その発展に貢献することができました。共闘が困難にぶつかったときにも、市民のみなさんとの協力で、断固として困難を乗り越える働きをすることができました。それができたのは、日本共産党が、現在から未来にいたる社会発展のあらゆる段階で、統一戦線の力――政治的立場の違いを超えた連帯と団結の力で政治を変えることを、党の綱領に明記している党だからであります。こういう党が躍進することが、市民と野党の共闘が発展する大きな推進力になるのではないでしょうか。

それから、みなさん、市民と野党がかわした13項目の「共通政策」をはじめ、国民のみなさんの切実な願いを本気で実現しようと思ったら、どんな問題でも、日本の政治の「二つのゆがみ」――「財界中心」「アメリカ言いなり」という「二つのゆがみ」にぶつかってきます。日本共産党は、綱領で、この「二つのゆがみ」の大本にメスを入れ、憲法に書いてある通りの国民主権の国――「国民が主人公」の日本、本当の民主主義の国といえる日本、本当の独立国といえる日本をつくることを、日本改革の大方針として明記し、この大方針のもとにたたかい続けてきた党であります。こういう党が躍進することが、市民と野党の共闘を強める確かな力になるのではないでしょう

か。（**拍手**）

さらに、みなさん、日本共産党は、全国に2万の党支部、約30万人の党員、約100万人の「しんぶん赤旗」読者、2680人の地方議員をもつ、草の根の力に支えられた党であることを、何よりもの誇りにしております。参議院選挙後、野党統一候補として勝利した新議員のみなさんからごあいさつをいただきましたが、共通して出されたのは、わが党の草の根の力への信頼でありました。岩手の横沢高徳議員は、私たちとの懇談でこうおっしゃった。「全国で2番目に広い岩手県のどこにいっても、共産党のみなさんが温かく歓迎し、支援してくれた。これが心強かった」。うれしい評価であります。わが党が、いま草の根の力を強く大きくのばすことは、市民と野党の共闘を支える土台を確かなものにするうえでも、大きな貢献となるのではないでしょうか。（**拍手**）

そして、みなさん、相手も、市民と野党の共闘に日本共産党が参加していることが、一番の脅威であり、一番の手ごわいところだということをよく知っています。だからこそ、安倍首相は、選挙中、全国各地の遊説で、共産党を攻撃しました。岩手では、「共産党の人たちが相手候補のビラを配っている。このことは決して忘れてはならない、負けるわけにはいかない」と叫びました。秋田では、「野党統一候補、その中の強力な中核部隊が共産党だ」、こうのべました。日本共産党への敵意をむきだしに語ったのであります。しかし、そうした「共産党アレルギー」に働きかける攻撃がもはや通用しなかったことは、選挙の結果が証明したではありませんか。（**大きな拍手**）

共闘の力を強め、日本を救うためにも、どうかこの党を強く大きくしてください。そのことへのご支援とご協力を、心からお願いするものであります。

党史でもかつてない新しい探求の道、世界でもユニークな探求の道をともに進もう

全国のみなさん。日本共産党は、今年で、党をつくって97年、合法的権利をかちとって74年になりますが、国政選挙で選挙協力を行い、国政を変えるということは、党史でもかつてない新しい探求の道であります。やったことのないことにとりくんでおります。

日本の戦後における統一戦線としては、1960年代後半から70年代にかけて、全国に広がった革新自治体の運動は、この東京での革新都政をはじめ、特筆すべき成果を築きました。ただ、この時期の統一戦線は、主に地方政治に限られており、国政での統一戦線の合意は当時の社会党との間で最後まで交わされず、国政での選挙協力もごくごく限定的なものにとどまりました。

この時期の統一戦線とくらべても、いまとりくんでいる市民と野党の共闘――全国的規模での選挙協力によって国政を変えようという共闘は、わが党にとって文字通り未踏の道の探求にほかなりませ

ん。戦後、統一戦線運動に力をつくし、亡くなった多くの先輩の諸同志も、今日の共闘の発展を見ることができたら、喜んでくれたことだろうと、私は思います。（**拍手**）

そして、みなさん、世界を見渡しても、新しい市民運動が政党をつくり左翼勢力の連合で政治変革をめざしている注目すべき経験が生まれていますが、日本のように、共産党が保守を含む広範な諸勢力と共闘して、右派反動政権を倒すたたかいに挑んでいるという国は、他に見当たりません。いま日本でとりくんでいる共闘は、世界でも他にないユニークな共闘であるということも報告しておきたいと思います。（**拍手**）

私は、最後に呼びかけます。

わが党にとってもかつてない新しい探求の道、世界でもユニークな探求の道を、ともにすすもうではありませんか。今日の私の話に共感していただいた方は、どうかこの機会に、ここでお会いしたのも何かのご縁ですから（**笑い**）、日本共産党に入党していただき、前人未到の探求と開拓の道をともに切りひらいていこうではありませんか。（**大きな拍手**）

そのことを心から呼びかけまして、記念講演を終わります。（**大きな拍手**）

日本共産党創立97周年万歳！（**「万歳」の声、歓声、長く続く大きな拍手**）

（「しんぶん赤旗」２０１９年8月10日付）

当選した参院議員7氏のあいさつ（要旨）

二つの「ありがとう」を胸に

埼玉選挙区　伊藤　岳（がく）さん

最初に国政に挑戦した2001年から7回転びましたが、8回目の今回ようやく起き上がりました。5回目の挑戦までは、共産党の前進には客観的な困難がありました。

先日、祝いに駆けつけた私の次男が「おやじも苦労しただろうけど、おれも苦労した。選挙の翌日に学校で『またお前のおやじ負けたな』と言われるのが嫌だった」と話してくれました。その息子が「信念は実るもんだな。おやじ、あらためて尊敬するよ」と言ってくれました。

そして皆さんと野党共闘の新しい時代を開き、いま日本共産党はその要の位置を占めるようになりました。

この18年、私を奮い立たせてくれたのは日本共産党の綱領の立場です。もう一つは今の政治に痛めつけられた市民の現状と怒りです。私は綱領の立場と、一緒にくじけずたたかってくれた市民の皆さんに「ありがとう」と言いたい。二つの「ありがとう」を胸に、6年間の議員活動に全力でまい進する決意です。

あなたの声を政治にいかす

東京選挙区　吉良（きら）よし子さん

先週末、愛知の「表現の不自由展・その後」の企画展が政治的圧力と脅迫により中止へ追い込まれてしまいました。こんなふうに日本で表現の不自由が広がること、見過ごすわけにはいきません。

選挙中、私の手を握ってくれた方が絞り出すように「生活が苦しい。仕事がつらい」と話してくれました。駅頭で私のスピーチを聞いていた、小さな子を抱えている女性と目が合った瞬間、泣きそうな顔をしながら深くうなずいてくれました。

そういう痛みや苦しみを取り除いていくことが政治の仕事です。この6年、苦しい現場でもあきらめず声を上げるみなさんと力を合わせてブラック企業の企業名公表制度、就活セクハラの相談窓口を実現することができました。

あなたの声が政治を動かす力です。その声を政治に届け、社会を変える、これが日本共産党の議席です。共産党の議員として、2期目もあなたと一緒に希望ある政治の実現へ全力あげる決意です。

「本気の共闘」さらにできる

京都選挙区　倉林　明子さん

（改選）定数2の京都選挙区で1票を争う大激戦を勝ち抜き、（京都府では）比例で自民党に次ぐ第2党を取り戻し、選挙区では2万7千票を上乗せし、得票率も25・8%に伸ばしました。

この勝利には、市民との共同の力がありました。「まさか自分が、共産党の候補者を応援する日が来るとは思いもしなかった」と告白し、市民が次々と応援演説に立つ姿は見たことのないものでした。

6年間、地元にとって使い勝手のいい議員になろうと働いてきたことが、党や後援会の皆さんのやったことのない支持拡大につながりました。自治体首長にも変化が生まれ、直面する行政課題を待ち構えていたように語ってくれる方も少なくありません。

自公政権のもとで地方が疲弊し、自治権が脅かされている事態は深刻です。京都でも「本気の共闘」にはまだまだ伸びしろがあると実感しています。来年2月の京都市長選、来たるべき総選挙でもさらなる前進を誓います。

安倍農政転換へ全力あげる

比例代表　紙　智子さん

選挙が終わって北海道、東北6県を報告にまわりました。「当選させることができてよかった」「次の選挙の勝利のためにも、自力をつけて頑張る」と固く手を握ってくれた方のぬくもりを通じて、議席の重みを痛感しました。

一方では、「安倍政権をノックアウトしてください」「日米FTA（自由貿易協定）は許せない」「沿岸漁民に魚をとらせろ」といった農漁業者の要請や激励を受けました。

東北では3年前と比べても、市民と野党の共闘の威力が大きく発揮されたと実感しました。この力が全国10選挙区で自民党を減らし、改憲勢力3分の2を割らせたと確信しています。

先日、難病患者・障害者・家族の全道集会に参加し、切なる願いが届けられました。また、食料自給率が史上最低となったことへの警告と、早く安倍農政を転換してほしいという要求が届けられました。さまざまな国民の願いに全力で応え、頑張る決意です。

9条改憲　サヨナラ告げよう

比例代表　井上 哲士(さとし)さん

参院選では、暮らしの希望とともに、被爆2世として、核兵器禁止条約を採択した国連会議に参加したただ一人の参議院議員として、この条約への批准を迫る責務が私にはあると語りぬき、被爆者の平和の思いが刻み込まれた憲法9条を守りぬく責務があると訴えぬきました。

広島の平和記念式典で2人の小学生が行った「平和の誓い」はこう述べました。「『ありがとう』や『ごめんね』の言葉で認め合い許し合うこと、寄り添い、助け合うこと、相手を知り、違いを理解しようと努力すること。自分の周りを平和にすることは私たち子どもにもできることです」

これを一番学ぶべきは安倍首相ではないでしょうか。国民の中にも近隣諸国との間にも分断と対立をあおり、国民の審判を逆さまに描いて憲法9条改悪に執念を燃やす安倍政権にサヨナラを告げるために、引き続き参院国対委員長として、市民と野党の共闘をさらに前進させるために力を尽くします。

“希望”に子どもたちも共感

比例代表　山下 芳生(よしき)さん

選挙最終盤、マンションに向かって演説していると、学校帰りの子どもたちが公園で聞き始め、途中から「そうだ」の声が上がり、とうとう最後まで聞いてくれました。

演説後、子どもたちが近づいてきて「サインください」と10人ほど列ができました。「話分かった?」と聞いたら、4年生の子が「分かりました。僕のお兄ちゃんは高校生で、お母さんが『これからお金がたくさんいる』と言っています」と。

演説では、日本の大学の授業料が高すぎること、ヨーロッパでは基本的にゼロ円になっていること、日本共産党は速やかに半額にし、段階的にゼロ円を目指していることを紹介しました。私たちの語る希望は、子どもたちに伝わる力を持っています。サインでは名前と一緒に「子どもたちは未来です」と書きました。子どもたちに戦争のない未来を手渡すのは、わたしたちおとなの責任です。ご一緒にそのために力を合わせようではありませんか。

心を一つに政治を変えよう

比例代表　**小池　晃さん**

この4年間で市民と野党の共闘は、「共産党がいると勝てない」という議論は影を潜め、「共産党がいないと勝てない」と、大きな前進がありました。

共闘の源流はオール沖縄のたたかいです。ちょうど1年前の今日、（沖縄県知事だった）翁長雄志さんが亡くなりました。「赤旗」で沖縄県政策参与の照屋義実さんは、翁長さんの「保守・革新が対立したままでは、上から笑っている人がいる」「心を一つにまとまっていかないと、県民を救う道はない」との言葉を紹介しました。文字通り命をかけて共闘を訴えた覚悟に応えなければなりません。

このバッジは、448万3411人の怒りと苦しみと希望が詰まった、市民と野党の共闘への期待が詰まった、議席に届かなかった仲間の思いが詰まったバッジです。

この思いを絶対に無駄にしない。政治を変えよう。本気で変えよう。安倍政権を倒し、新しい政治をつくろう。くらしに希望を！

（「しんぶん赤旗」2019年8月9日付）

〈資　料〉

市民連合と5野党・会派が2019年5月29日に合意した「共通政策」と野党の署名した内容は次の通りです。

市民連合と5野党・会派の「共通政策」

市民連合の要望書

来る参議院選挙において、以下の政策を掲げ、その実現に努めるよう要望します。

だれもが自分らしく暮らせる明日へ

1　安倍政権が進めようとしている憲法「改定」とりわけ第9条「改定」に反対し、改憲発議そのものをさせないために全力を尽くすこと。

2　安保法制、共謀罪法など安倍政権が成立させた立憲主義に反する諸法律を廃止すること。

3　膨張する防衛予算、防衛装備について憲法9条の理念に照らして精査し、国民生活の安全という観点から他の政策の財源に振り向けること。

4　沖縄県名護市辺野古における新基地建設を直ちに中止し、環境の回復を行うこと。さらに、普天間基地の早期返還を実現し、撤去を進めること。日米地位協定を改定し、沖縄県民の人権を守ること。また、国の補助金を使った沖縄県下の自治体に対する操作、分断を止めること。

5　東アジアにおける平和の創出と非核化の推進のために努力し、日朝平壌宣言に基づき北朝鮮との国交正常化、拉致問題解決、核・ミサイル開発阻止に向けた対話を再開すること。

6　福島第一原発事故の検証や、実効性のある避難計画の策定、地元合意などのないままの原発再稼働を認めず、再生可能エネルギーを中心とした新しいエネルギー政策の確立と地域社会再生により、原発ゼロ実現を目指すこと。

7　毎月勤労統計調査の虚偽など、行政における情報の操作、捏造（ねつぞう）の全体像を究明するとともに、高度プロフェッショナル制度など虚偽のデータに基づいて作られた法律を廃止すること。

8　2019年10月に予定されている消費税率引き上げを中止し、所得、資産、法人の各分野における総合的な税制の公平化を図ること。

9　この国のすべての子ども、若者が、健やかに育ち、学び、働くことを可能とするための保育、教育、雇用に関する予算を飛躍的に拡充すること。

10　地域間の大きな格差を是正しつつ最低賃金「1500円」を目指し、8時間働けば暮らせる働くルールを実現し、生活を底上げする経済、社会保障政策を確立し、貧困・格差を解消すること。また、これから家族を形成しようとする若い人々が安心して生活できるように公営住宅を拡充すること。

11　ＬＧＢＴｓに対する差別解消施策、女性に対する雇用差別や賃金格差を撤廃し、選択的夫婦別姓や議員間男女同数化（パリテ）を実現すること。

12　森友学園・加計学園及び南スーダン日報隠蔽（いんぺい）の疑惑を徹底究明し、透明性が高く公平な行政を確立すること。幹部公務員の人事に対する内閣の関与の仕方を点検し、内閣人事局の在り方を再検討すること。

13　国民の知る権利を確保するという観点から、報道の自由を徹底するため、放送事業者の監督を総務省から切り離し、独立行政委員会で行う新たな放送法制を構築すること。

２０１９年５月29日

私たちは、以上の政策実現のために、参議院選挙での野党勝利に向けて、各党とともに全力で闘います。

安保法制の廃止と立憲主義の回復を求める市民連合

上記要望を受け止め、参議院選挙勝利に向けて、ともに全力で闘います。

立憲民主党代表　枝野幸男
国民民主党代表　玉木雄一郎
日本共産党委員長　志位和夫
社会民主党党首　又市征治
社会保障を立て直す国民会議代表　野田佳彦